Les Simpson™

Boing Boing Bart !

Jungle

BIG BOUNCY BOOK OF BART SIMPSON

Bongo Comics Group
P.O. Box 1963, Santa Monica, CA 90406-1963

Publisher: MATT GROENING
Creative Director: BILL MORRISON
Managing Editor: TERRY DELEGEANE
Director of Operations: ROBERT ZAUGH
Art Director: NATHAN KANE
Art Director Special Projects: SERBAN CRISTESCU
Production Manager: CHRISTOPHER UNGAR
Legal Guardian: SUSAN A. GRODE

Trade Paperback Concepts and Design: SERBAN CRISTESCU

Adaptation française : Émilie Saada et Fanny Soubiran

ISBN : 978-2-874-42429-8

Imprimé en France par Pollina s.a., Luçon - n° L21796. Dépôt légal : Février 2009 ; D.2009/0053/256

SCÉNARIO :	DESSINS :	ENCRAGE :	COULEURS :	LETTRAGE :	RÉVISIONS :
PATRIC VERRONE	RYAN RIVETTE	PATRICK OWSLEY	ART VILLANUEVA	SIMON MOREAUX	BILL MORRISON

PEU APRÈS...
LE PROBLÈME AVEC LES CARTES DE RADIOACTIVE MAN, C'EST QU'IL FAUT DEMANDER À WENDELL D'ACHETER CENT PAQUETS POUR AVOIR UN JEU ENTIER.
L'ODEUR DU CARTON, ÇA ME REND MALADE.
HÉ ! J'AI L'ATOUT D'ACIER AVEC MATA-HARPI — LA SALE ESPIONNE.
JE TE L'ÉCHANGE CONTRE LA CARTE RETOMBÉES NUCLÉAIRES FRAÎCHEMENT IRRADIÉE. ON SAIT JAMAIS, L'ATOUT D'ACIER PEUT TOUJOURS ÊTRE UTILE.
C'EST PEUT-ÊTRE PAS LE CARTON.
DIS, BART, TU CROIS QUE LE PRINCIPAL SKINNER A COMPRIS CE QUI S'ÉTAIT PASSÉ AU LABO DE CHIMIE AUJOURD'HUI ?
DÉGAGEZ DU BAC À SABLE !
NAN. ET MÊME SI C'ÉTAIT LE CAS, QU'EST-CE QU'IL Y POURRAIT ? APPELER HOMER SUR SA LIGNE DIRECTE ?
BLORP!
SIMPSON, J'AI DEUX MOTS À TE DIRE.
EUH, VOUS AVEZ VÉRIFIÉ SI J'ÉTAIS DISPO AVEC MA SECRÉTAIRE ?
TU M'AS L'AIR LIBRE SI JE NE M'ABUSE.
C'EST PAS MOI. VOUS POUVEZ PAS LE PROUVER. JE PLAIDE LA DÉMENCE.

SIMPSON, ON A UN SACRÉ DOSSIER SUR TON COMPTE.
IL EST DANS CE MEUBLE ?

C'EST TOUT LE MEUBLE, FIGURE-TOI !

TA PETITE FARCE D'AUJOURD'HUI N'EST QU'UN DOSSIER MINEUR DANS LE TIROIR TROIS, ENCEINTE SCOLAIRE, DOMMAGES PERPÉTRÉS, CAUSÉS PAR EXPLOSION OU OBJETS VOLANTS.

BEN J'ESPÈRE QUE VOUS ALLEZ COFFRER EL BARTO AVANT QU'IL "FRAPE" ENCORE.
ASSEZ DE FAMILIARITÉ, SIMPSON. C'EST LA GOUTTE D'EAU.

TU M'OBLIGES À UTILISER UN CHÂTIMENT RARE ET CRUEL QUE MÊME LE DOYEN D'AMERICAN COLLEGE N'OSERAIT PAS UTILISER.
VOUS ALLEZ ME FAIRE QUOI ?

JE VAIS TE.. ERKKK
FFFT!

VOUS ALLEZ TOMBER PAR TERRE ? JE CROIS QUE ÇA VA PAS SERVIR À GRAND-CHOSE.
QUI T'ES, TOI ?
APPELLE-MOI AGENT K. JE SUIS TON ANGE GARDIEN.
UN ANGE GARDIEN DANS UNE COMBINAISON EN CUIR SEXY. Y A DU PROGRÈS !
IL EST...
MORT ? NON. JUSTE ENDORMI.
PAS MAL POUR UN ANGE GARDIEN.
POURQUOI T'AS DÛ LE DÉGOMMER ?
SES MÉTHODES DEVENAIENT MALSAINES.
TU FAIS PARTIE DU CA DE L'ÉCOLE ?
NON. JE FAIS PARTIE D'UNE AGENCE SECRÈTE CHARGÉE D'ASSOCIER LES JEUNES DE LA NATION À DES MISSIONS D'EXTRÊME PRÉJUDICE.
C'EST LES PARENTS D'ÉLÈVES ?
HOP-LÀ!
HOP-LÀ!
TOUT CE QUE JE SUIS AUTORISÉE À DIRE, C'EST QUE JE T'EMMÈNE AU QG.
TROP FORT !
JE SUIS JAMAIS MONTÉ DANS UN BLACK-HAWK DE MA VIE !
DOMMAGE. PARCE QUE TU NE T'EN SOUVIENDRAS PAS.
PFFT!

PEU APRÈS...
BONJOUR, SIMPSON.
QUI ÊTES-VOUS ?
APPELLE-MOI S. JE SUIS LE DIRECTEUR DU PROGRAMME D'ENQUÊTES TOP-SECRÈTES POUR ENFANTS.
P.E.T.E. ?
TIENS, C'EST LA MEILLEURE ! JE N'AVAIS JAMAIS REMARQUÉ QUE ÇA DONNAIT "PÈTE".
ET QU'EST-CE QUE VOUS ME VOULEZ ?
ON T'A À L'ŒIL DEPUIS UN CERTAIN TEMPS, SIMPSON. ON A UN SACRÉ DOSSIER SUR TON COMPTE.
C'EST DANS CE MEUBLE ?
C'EST TOUT LE MEUBLE !
L'INCIDENT DU LABO DE CHIMIE AUJOURD'HUI A ATTIRÉ NOTRE ATTENTION.
JE VOIS. VOUS CONNAISSEZ DONC MON BOULOT.

ÇA OUI. ON CONNAÎT TA FOURBERIE...

... TON INVENTIVITÉ...
UNE SOIRÉE AVEC MONCHIEUR SALMERS
JE VOUS ASSURE QUE CE PANNEAU ANNONÇAIT "UNE SOIRÉE AVEC MONSIEUR CHALMERS" CE MATIN.

... TA COMPLICITÉ AVEC LA NATURE...

... ET MÊME TON ENDU-RANCE...
JE NE PRENDRAI PLUS ÜTER POUR CIBLE.
PFF ! PFF !

... ET NOUS APPRÉCIONS SURTOUT TON INGÉNIOSITÉ SOURNOISE.
EN D'AUTRES TERMES...

ON TROUVE QUE TU ES UN PETIT CHENAPAN !

ÉVIDEMMENT, MA RÉPUTATION ME PRÉCÈDE. MAIS VOUS ATTENDEZ QUOI DE MOI AU JUSTE ?
QU'EST-CE QUE TU SAIS DU "MACGUFFIUM" ?
C'EST UNE PETITE PRINCIPAUTÉ SITUÉE DANS LES ALPES, FONDÉE PAR DES VASSAUX DU SAINT EMPIRE ROMAIN AU DÉBUT DU XVIIIE SIÈCLE. SON ÉCONOMIE EST FONDÉE SUR L'EXPORTATION DE CHOCOLAT ET DE LAXATIFS.
IMPRESSIONNANT, MAIS JE CROIS QUE TU CONFONDS AVEC LE LIECHTENSTEIN.
LE MACGUFFIUM EST UN ÉLÉMENT EXTRÊMEMENT VOLATIL DONT LA DEMI-VIE RADIOACTIVE EST LE DOUBLE DE CELLE DE L'URANIUM ET LA FORCE D'EXPLOSION LE QUADRUPLE DE CELLE DU PLUTONIUM.
GRÂCE À SA CONCENTRATION, LA QUANTITÉ DE MACGUFFIUM NÉCESSAIRE POUR FAIRE SAUTER UNE VILLE DE LA TAILLE DE SPRINGFIELD TIENT DANS UN SACHET DE KOOL-AID.
NOUS AVONS DES RAISONS DE CROIRE QU'UN INDIVIDU DANS SPRINGFIELD FABRIQUE DU MACGUFFIUM EN GRANDES QUANTITÉS. NOUS VOULONS QUE TU L'IDENTIFIES.
ET J'Y GAGNE QUOI ?
LE FRISSON DE LA MISSION.
LA RECONNAIS-SANCE DE LA NATION.
LA FIERTÉ DU TRAVAIL BIEN FAIT.
OUAIS, MAIS MOI, J'Y GAGNE QUOI ?
NOUS FERONS EN SORTE QUE TA FARCE D'AUJOURD'HUI SOIT DÉFINITIVEMENT RAYÉE DE TON CASIER.
ÇA ROULE.

NOUS AVONS DEMANDÉ À "F", NOTRE SPÉCIALISTE TECHNIQUE, DE TE FOURNIR QUELQUES OUTILS UTILES POUR L'ESPIONNAGE.
COOL.
COOL, OUI. MAIS PAS TOUCHE AUX EXPLOSIFS ET PAS DE "HEP, MISS, ATTENTION !"

DES LUNETTES À RAYONS X ?
HUNH ! RIEN DE SI EXTRAVAGANT. 'GARGUL' QUAND CES LUNETTES PRÉSENTENT UN REFLET BLEU, CELA SIGNIFIE LA PRÉSENCE DE MACGUFFIUM. ET ELLES PROTÈGENT AUSSI DU SOLEIL. 'ARGUEN'

WAOUH ! LAISSE-MOI DEVINER... UN SKATE-BOARD À PROPULSEURS ?
L'IMAGINATION DE CE GARÇON S'EMBALLE À LA SEULE VUE D'UNE PLANCHE À ROULETTES ! LES SKATE-BOARDS À PROPULSEURS, ÇA N'EXISTE PAS. CECI EST UN AÉROBOARD. 'HARBON'

ET ÇA, ON DIRAIT UN TÉLÉPHONE PORTABLE.
POUR UN AMATEUR PEUT-ÊTRE... MAIS QUAND TU L'ALLUMES, TU PEUX ENTRER EN CONTACT AVEC N'IMPORTE QUI SUR TERRE, ENVOYER DES PHOTOS ET JOUER À TETRIS.

UN PORTABLE, QUOI. ET J'AI DROIT À UN PSEUDO ?
NON. TOUS NOS NOUVEAUX AGENTS UTILISENT LE MÊME NOM DE CODE QUI EST EN FAIT L'ACRONYME DE "BON À RIEN TÉMÉRAIRE".

CE QUI DONNE...

NOM DE CODE : B.A.R.T.
TIENS, TIENS ! JE N'AVAIS JAMAIS REMARQUÉ QUE ÇA *DONNAIT* "BART".

VROUM!

VROUM!

EUH, C'EST PAR OÙ LA SORTIE ?

PEU APRÈS...
BON, J'AI DIX ANS ET JE SUIS EN MISSION SPÉCIALE POUR DÉNICHER LE SALE TYPE QUI FAIT DU TRAFIC D'EXPLOSIFS NUCLÉAIRES. QUEL EST MON ***PREMIER PAS*** ? UN BLACK-JACK ? UN VOL POUR LA JAMAÏQUE ? NON, JE SAIS ! UN REMONTANT.

GRANITÉ CERISE. SECOUÉ, PAS REMUÉ.
J'AI PEUR D'ENDOMMAGER LA MACHINE, MAIS TU ES MON MEILLEUR CLIENT...

HUM. 'Y A UN MEC LOUCHE SUR L'ÉCRAN DE CONTRÔLE D'APU. JE SOUPÇONNE UN SUSPECT.

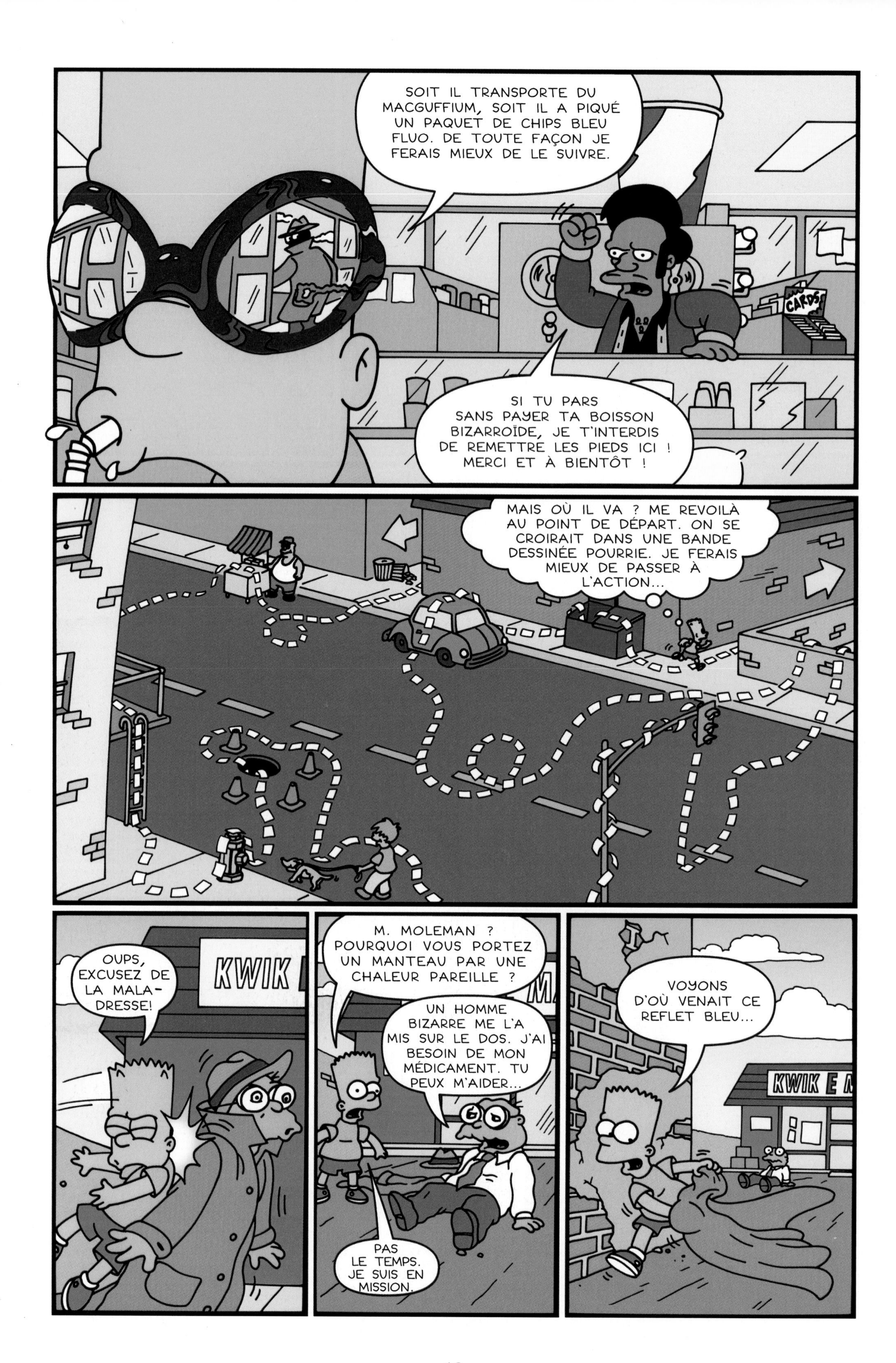
SOIT IL TRANSPORTE DU MACGUFFIUM, SOIT IL A PIQUÉ UN PAQUET DE CHIPS BLEU FLUO. DE TOUTE FAÇON JE FERAIS MIEUX DE LE SUIVRE.
CARDS
SI TU PARS SANS PAYER TA BOISSON BIZARROÏDE, JE T'INTERDIS DE REMETTRE LES PIEDS ICI ! MERCI ET À BIENTÔT !
MAIS OÙ IL VA ? ME REVOILÀ AU POINT DE DÉPART. ON SE CROIRAIT DANS UNE BANDE DESSINÉE POURRIE. JE FERAIS MIEUX DE PASSER À L'ACTION...
OUPS, EXCUSEZ DE LA MALA-DRESSE!
KWIK
M. MOLEMAN ? POURQUOI VOUS PORTEZ UN MANTEAU PAR UNE CHALEUR PAREILLE ?
UN HOMME BIZARRE ME L'A MIS SUR LE DOS. J'AI BESOIN DE MON MÉDICAMENT. TU PEUX M'AIDER...
PAS LE TEMPS. JE SUIS EN MISSION.
VOYONS D'OÙ VENAIT CE REFLET BLEU...
KWIK E M

CETTE CARTE DOIT COMPORTER DES TRACES DE MACGUFFIUM. QUE PEUT BIEN VOULOIR DIRE CETTE EXPLOSION SOLAIRE ?
JE VAIS DEMANDER L'AVIS D'UN EXPERT EN SYMBOLES...
PETITE DÉCHIRURE SUR LE BORD INFÉRIEUR, COIN SUPÉRIEUR DROIT LÉGÈREMENT CORNÉ, CENTRAGE 60/40. MA CONCLUSION, C'EST "ÉTAT D'USAGE".
J'AI PAS BESOIN DE LA FAIRE EXPERTISER. JE VEUX JUSTE SAVOIR CE QUE L'IMAGE SIGNIFIE.
JE L'AI DÉJÀ VUE. SUR LE NUMÉRO 26 DES HISTOIRES DES CHAMPS PÉTROLIERS TEXANS. C'ÉTAIT UN TERRORISTE ÉCOLO SURNOMMÉ LE "PASSEUR DE GAZ", IL AVAIT LA MÊME SUR SA VOITURE À PANNEAUX SOLAIRES.
T'EN ES SÛR...
PARDON, MAIS J'AI ENCORE LE MYSTÈRE DU DERNIER NUMÉRO DES SECRETS DES ARCANES À ÉLUCIDER.
PRIVÉ
CE GROS LARD CONDESCENDANT FAIT DE LA RÉTENTION D'INFORMATION.
JE LE SAVAIS. UN BUREAU. UN TÉLÉPHONE. UNE CENTAINE DE PAQUETS DE CHIPS VIDES. TOUT S'ASSEMBLE. MAIS ÇA VEUT DIRE QUOI ?
IVÉ
Potato Chips
POURRAIS-JE AVOIR LE PLAISIR DE PARLER À MELLE SHAUNA TIFTON ?
JE CONNAIS CE NOM. SHAUNA TIFTON... SHAUNA TIFTON... J'Y SUIS !

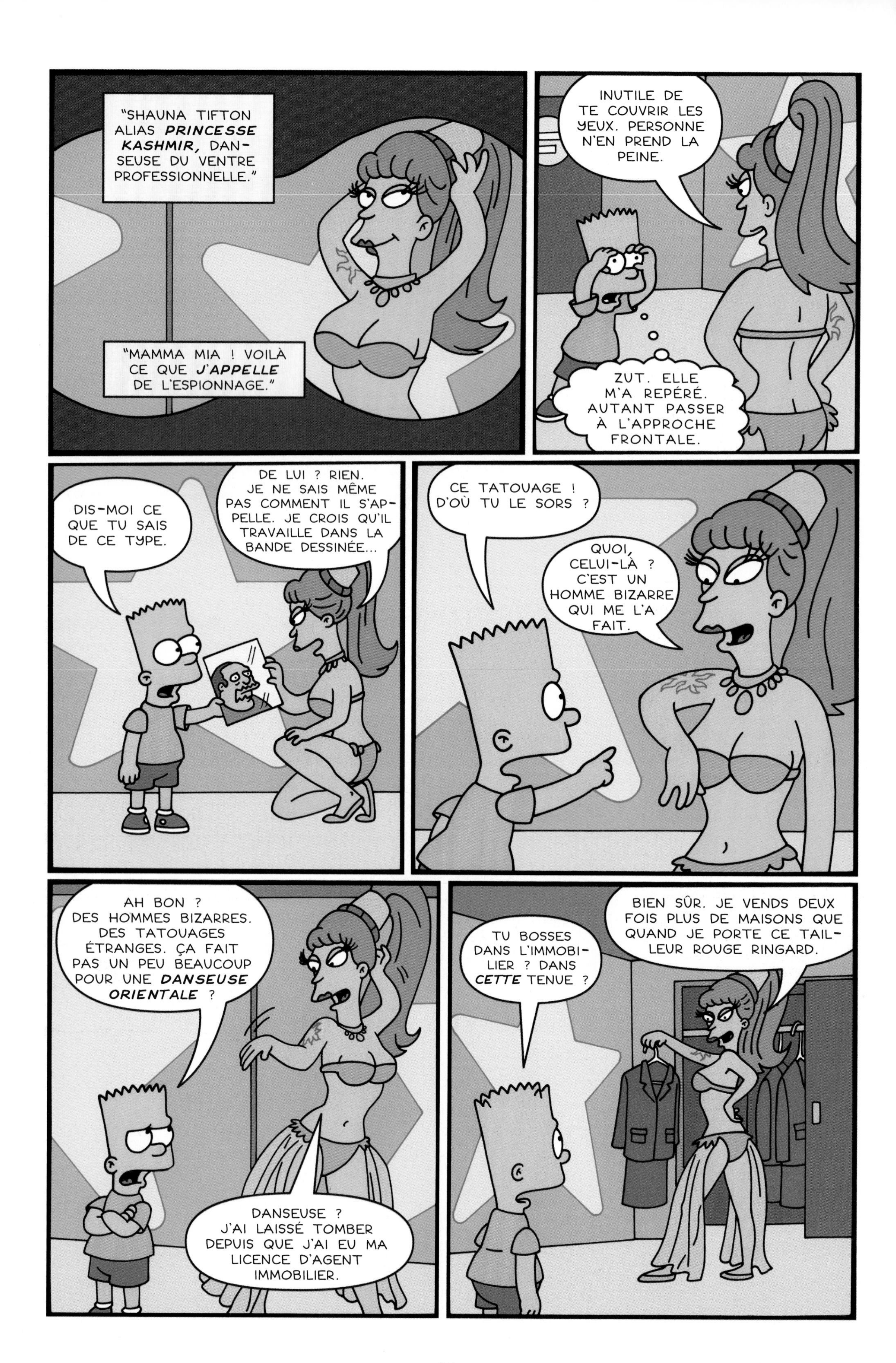
"SHAUNA TIFTON ALIAS PRINCESSE KASHMIR, DANSEUSE DU VENTRE PROFESSIONNELLE."
"MAMMA MIA ! VOILÀ CE QUE J'APPELLE DE L'ESPIONNAGE."
INUTILE DE TE COUVRIR LES YEUX. PERSONNE N'EN PREND LA PEINE.
ZUT. ELLE M'A REPÉRÉ. AUTANT PASSER À L'APPROCHE FRONTALE.
DIS-MOI CE QUE TU SAIS DE CE TYPE.
DE LUI ? RIEN. JE NE SAIS MÊME PAS COMMENT IL S'APPELLE. JE CROIS QU'IL TRAVAILLE DANS LA BANDE DESSINÉE...
CE TATOUAGE ! D'OÙ TU LE SORS ?
QUOI, CELUI-LÀ ? C'EST UN HOMME BIZARRE QUI ME L'A FAIT.
AH BON ? DES HOMMES BIZARRES. DES TATOUAGES ÉTRANGES. ÇA FAIT PAS UN PEU BEAUCOUP POUR UNE DANSEUSE ORIENTALE ?
DANSEUSE ? J'AI LAISSÉ TOMBER DEPUIS QUE J'AI EU MA LICENCE D'AGENT IMMOBILIER.
TU BOSSES DANS L'IMMOBILIER ? DANS CETTE TENUE ?
BIEN SÛR. JE VENDS DEUX FOIS PLUS DE MAISONS QUE QUAND JE PORTE CE TAILLEUR ROUGE RINGARD.

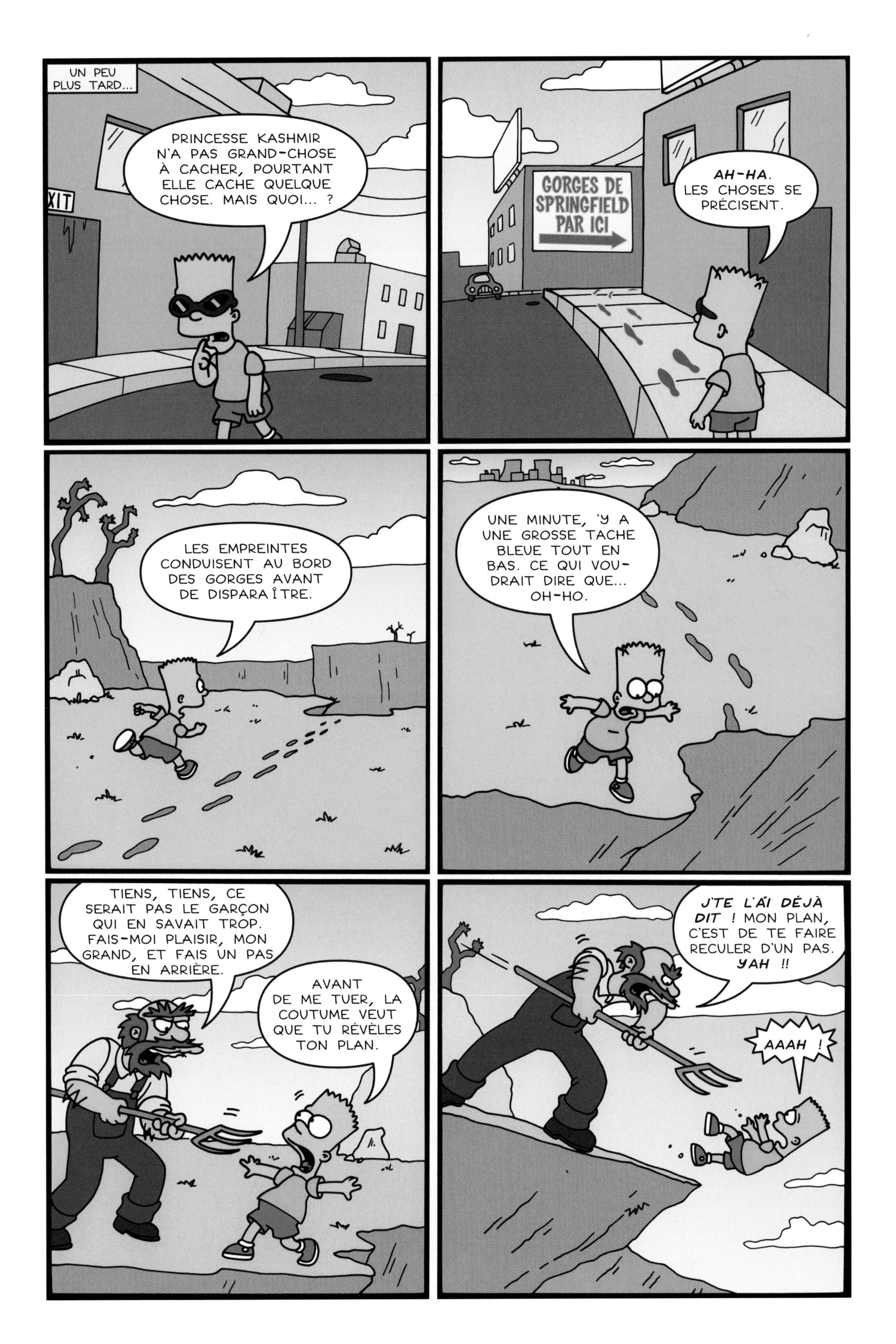
UN PEU PLUS TARD...
PRINCESSE KASHMIR N'A PAS GRAND-CHOSE À CACHER, POURTANT ELLE CACHE QUELQUE CHOSE. MAIS QUOI... ?
EXIT
GORGES DE SPRINGFIELD PAR ICI
AH-HA. LES CHOSES SE PRÉCISENT.
LES EMPREINTES CONDUISENT AU BORD DES GORGES AVANT DE DISPARAÎTRE.
UNE MINUTE, 'Y A UNE GROSSE TACHE BLEUE TOUT EN BAS. CE QUI VOUDRAIT DIRE QUE... OH-HO.
TIENS, TIENS, CE SERAIT PAS LE GARÇON QUI EN SAVAIT TROP. FAIS-MOI PLAISIR, MON GRAND, ET FAIS UN PAS EN ARRIÈRE.
AVANT DE ME TUER, LA COUTUME VEUT QUE TU RÉVÈLES TON PLAN.
J'TE L'AI DÉJÀ DIT ! MON PLAN, C'EST DE TE FAIRE RECULER D'UN PAS. YAH !!
AAAH !

SACREBLEU. JOUER LES MÉCHANTS, C'EST BIEN PLUS DRÔLE QUE D'ENLEVER LE DÉGUEULIS DU BAC À SABLE.
JE SUPPOSE QUE C'EST CE QU'ON APPELLE UN "MOMENT DE SUSPENS".
NAN, MON GRAND. C'EST LE MOMENT DE LA CHUTE.
CLAC!
GLOUP
YAAAAHH!
EST-CE LA FIN DE BART SIMPSON ?
SURVIVRA-T-IL À SA CHUTE DANS CES GORGES PROFONDES ?
ACHÈTERIEZ-VOUS UN AUTRE TOME POUR LE DÉCOUVRIR ?
EN FAIT, C'EST PAS LA PEINE. LA SUITE DE L'HISTOIRE SE TROUVE DANS LA SECONDE PARTIE DE CET ALBUM SOUS LE TITRE...
BART SIMPSON
AGENT SECRET, MEC !
(2ÈME PARTIE)

BART SIMPSON
dans
TU NE VAS PAS MANGER ÇA ?

SCÉNARIO : JAMES BATES
DESSIN : JOEY NILGES
ENCRAGE : MIKE ROTE
LETTRAGE : SIMON MOREAUX
RÉVISIONS : BILL MORRISON
COULEUR : NATHAN HAMILL

AU COLLÈGE, UN JOUR DE CANICULE...
CASSÉ ?

OUAIP, LE CONGÉLO L'EST R'FROIDI. MARCHE P'US DU TOUT.
MAIS, TOUTE CETTE NOURRITURE VA POURRIR !

IL DOIT Y AVOIR AU MOINS TROIS SEMAINES DE PROVISIONS. COMMENT FAIRE DE CE DÉSASTRE UN ÉVÉNEMENT POSITIF ?
MALK
MALK
SUBSTANCE VIANDE ROTIE
BOISSON GÔUT ROUGE
VACHE ENRAGÉE CATÉGORIE C

PEU APRÈS...
POUR RÉCOMPENSER VOTRE EXCELLENTE CONDUITE DE CES DERNIERS JOURS, JE DÉCLARE CETTE JOURNÉE "JOURNÉE MANGEZ TOUT CE QUE VOUS POURREZ !"

OUAIS!
RÉCOMPENSER NOTRE ***EXCELLENTE CONDUITE*** ? AURAIS-JE FAILLI À MON DEVOIR ?
HOURAH!

EXCELLENTE CONDUITE ? 'C'QUI
JE SAIS. FAUT QU'ON CORRIGE LE TIR.
JE T'ÉCOUTE...

BATAILLE DE NOURRITURE ?
TROP CLICHÉ. DE TOUTE FAÇON ILS EN ONT DÉJÀ MIS PARTOUT.

J'AI TROUVÉ ! MANGEZ-TOUT-CE-QUE-VOUS-POURREZ. ON VA FAIRE UN PETIT ***CONCOURS***.

MESDAMES ET MES VIEUX ! LE PRINCIPAL SKINNER A DÉCLARÉ CETTE JOURNÉE "JOURNÉE MANGEZ TOUT CE QUE VOUS POURREZ." BART SIMPSON DÉCLARE : "JE ***RELÈVE*** LE DÉFI !"
NELSON EST PARTANT. QUELQU'UN D'AUTRE VEUT VÉRIFIER S'IL PEUT ***"SUR-PASSER, SUR-JOUER ET SUR-MANGER"*** ?

OK, LES GARS. C'EST LA MARÉE HAUTE, LE MOMENT DE DESCENDRE DES POISSONS PANÉS. LE DERNIER À EN AVALER TRENTE EST ÉLIMINÉ.
POURQUOI JE FAIS ÇA ?
PARCE QUE, SI TU LE FAIS PAS TU VAS AVALER UNE PATATE GRATINÉE.

GROUMPF! CRUNCH!
SLURP!

CINQ MINUTES APRÈS...
MEC, JE VIENS DE ME RAPPELER, J'SUIS ALLERGIQUE AU POISSON.

JE VOIS DES FORMES. JE VOIS DES TACHES. ON DIRAIT LAZER ZEPPELIN.
HA HA !

IL A UN CHOC ANAPHYLACTIQUE.
WAOUH YEAH ! JOUE-MOI "STAIRWAY TO HEAVEN" !
OH OH, JIMBO A DES HALLUCINATIONS.
ON L'EMMÈNE À L'INFIRMERIE.

UN DE MOINS.
ON PASSE AU DEUXIÈME ROUND ! CHOUX DE BRUXELLES !

TIENS, WENDELL. IL FAUT EN MANGER DEUX POIGNÉES POUR AVOIR LE DROIT DE LES FAIRE DESCENDRE AVEC DE LA MOUTARDE.

'BURP'

PENDANT CE TEMPS, DANS LA SALLE DES PROFESSEURS...
JE ME SENS SI HONTEUX. MA MÈRE NE ME LAISSE JAMAIS EN REPRENDRE À LA MAISON.
QUOI ENCORE
BEEN A LONG TIME SINCE I ROCK 'N' ROLLED

UN CONCOURS "MANGEZ-TOUT-CE-QUE-VOUS-POURREZ" A ÉCLATÉ. JIMBO A AVALÉ UN POISSON PANÉ PÉRIMÉ... OU PEUT-ÊTRE MÊME TRENTE.
QUI A DÉCLENCHÉ ÇA, BART, OU NELSON ?
LES DEUX.

AU RÉFECTOIRE...
COMMENT UN TYPE AUSSI PETIT QUE WENDELL PEUT AVOIR UNE TELLE CONTENANCE ?
WAOUH, REGARDEZ UN PEU, TOUT LE POISSON ET TOUS LES CHOUX DE BRUXELLES.
IL VA AVOIR BESOIN D'UN PLUS GRAND SEAU, LE WILLIE.

TROISIÈME ROUND ! C'EST EXACTEMENT CE QU'IL FAUT POUR SE DÉBARRASSER DE CE PETIT GOÛT CHOUX-POISSON... UNE BRIQUE DE LAIT TIÈDE !!!

EH, C'EST PAS JUSTE, J'AI DES PROBLÈMES DE LACTOSE !
DÉSOLÉ, MEC. BRIQUE, OU T'AS PERDU.
CE LAIT EST RESTÉ À L'AIR TOUTE LA JOURNÉE. IL EST TOURNÉ. PLUS QU'UNE ÉTAPE ET C'EST DU FROMAGE !

GLOUP! GLOUP! GLOUP!

AH !

HO ! LE LAIT EST RENVERSÉ ET JE NE PLEURE PAS DESSUS !
YES ! ENCORE UN DE MOINS !
BEEURRP !
SPLOUF!

OUAH, IL A PÉTÉ LES PLOMBS.
VOUS NE POUVEZ PAS ! VOUS NE POUVEZ PAS ME FORCER À BOIRE MON LAIT ! NON-NON-

J'ESSAIE DE VOUS RÉCOMPENSER POUR VOTRE EXCELLENTE CONDUITE, ET VOILÀ CE QUE VOUS TROUVEZ À FAIRE ? VOUS AVEZ GÂCHÉ TOUTE CETTE NOURRITURE. J'AURAIS DÛ M'EN DOUTER !
AH... TOUT EST RENTRÉ DANS L'ORDRE.

BIEN JOUÉ, BART.
MERCI, MEC. ON N'A PAS BESOIN DE TERMINER LE CONCOURS JE CROIS.

BIEN SÛR QU'ON A PAS **BESOIN**... SI TU DÉCLARES **FORFAIT** !
J'**ABANDONNE** PAS. APPORTEZ LA SUITE !
AH, NON, CE CARNAGE EST **TERMINÉ** !

ALLEZ SEYMOUR. CES ALIMENTS ÉTAIENT DÉJÀ GÂCHÉS. ON DIT QU'ON LES LAISSE FINIR.
MAIS, EDNA...

JE METS 20 DOLLARS SUR BART.
VOUS VOULEZ DIRE QUE JE RÉCUPÈRE LE CASH SI BART EST PERDANT ? MARCHÉ CONCLU !

TRÈS BIEN, MESSIEURS, PRENEZ PLACE, LE TEST SUIVANT VA DÉMARRER.

APRÈS TOUT CE QUE VOUS AVEZ MANGÉ AUJOURD'HUI, QUE PENSERIEZ-VOUS D'UNE BONNE GELÉE BIEN TREMBLOTANTE ?
J'AI TOUJOURS DE LA PLACE POUR LA GELÉE !
FAITES PASSER ! J'SUIS PRÊT !

À VOS MARQUES, PRÊTS, **MANGEZ** !
GLOUB!
SLURP!
GLOUB!

DIX BOLS PLUS TARD...
TROP MANGÉ. BEAUCOUP TROP.

ÇA VOUS DIRAIT, UN PEU DE GLACE À LA MENTHE ? DEUX BOLS CHACUN.
ÇA DEVRAIT VOUS DÉPARTA-GER. BON APPÉ-TIT !

PEUX PLUS MANGER... DOIS MANGER ENCORE...
PEUX PAS...
DOIS...
OH OH, JE CONNAIS CETTE TÊTE-LÀ. TOUS AUX ABRIS !

OH, NON !
ON DIRAIT BIEN QUE BART VA LÂCHER.
ENVOYEZ LES VINGT DOLLARS, EDNA.

BART, ARRÊTE ! MANGER JUSQU'À EN TOMBER MALADE, ÇA NE MÈNE À RIEN DE BON. TU N'AS DONC RIEN APPRIS EN REGARDANT PAPA ?
'GLOUG'
ALLEZ, SIMPSON, JOUE, OU COUCHE-TOI !

LISA A RAISON ! ÇA FAIT DES ANNÉES QUE JE VOIS HOMER EMBALLER CE TRUC. JE PEUX LE FAIRE !

ON DÉGAINE À TROIS.

UN...

DEUX...
WSSSHEEW

TROIS !
GLOUB
GROUMPF
GRRR
GLOUB
GRRR
GLOP

ÇA NE FINIRA JAMAIS. ON PEUT FAIRE MIEUX.
ON EN FAIT DES SUNDAYS HOT-DOG ! SAUF SI TU PRÉFÈRES ABANDONNER ?
OK.
JAMAIS. C'EST QUOI, UN SUNDAY HOT-DOG ?

GLACE, UN PEU DE MOUTARDE, KETCHUP, CORNICHONS, CHOUCROUTE, OIGNONS, PIMENT ET, BIEN SÛR, FROMAGE.
C'EST DÉGOÛTANT, TU ES UN MONSTRE !
OH LÀ, MEC, JE CROIS QUE JE VAIS VOMIR !

JE NE SUIS PAS UN MONSTRE ! JE SUIS BART, FILS D'HOMER, ET AUCUNE NOURRITURE NE POURRA M'ARRÊTER !
HA ! HA !
BURP
FIN

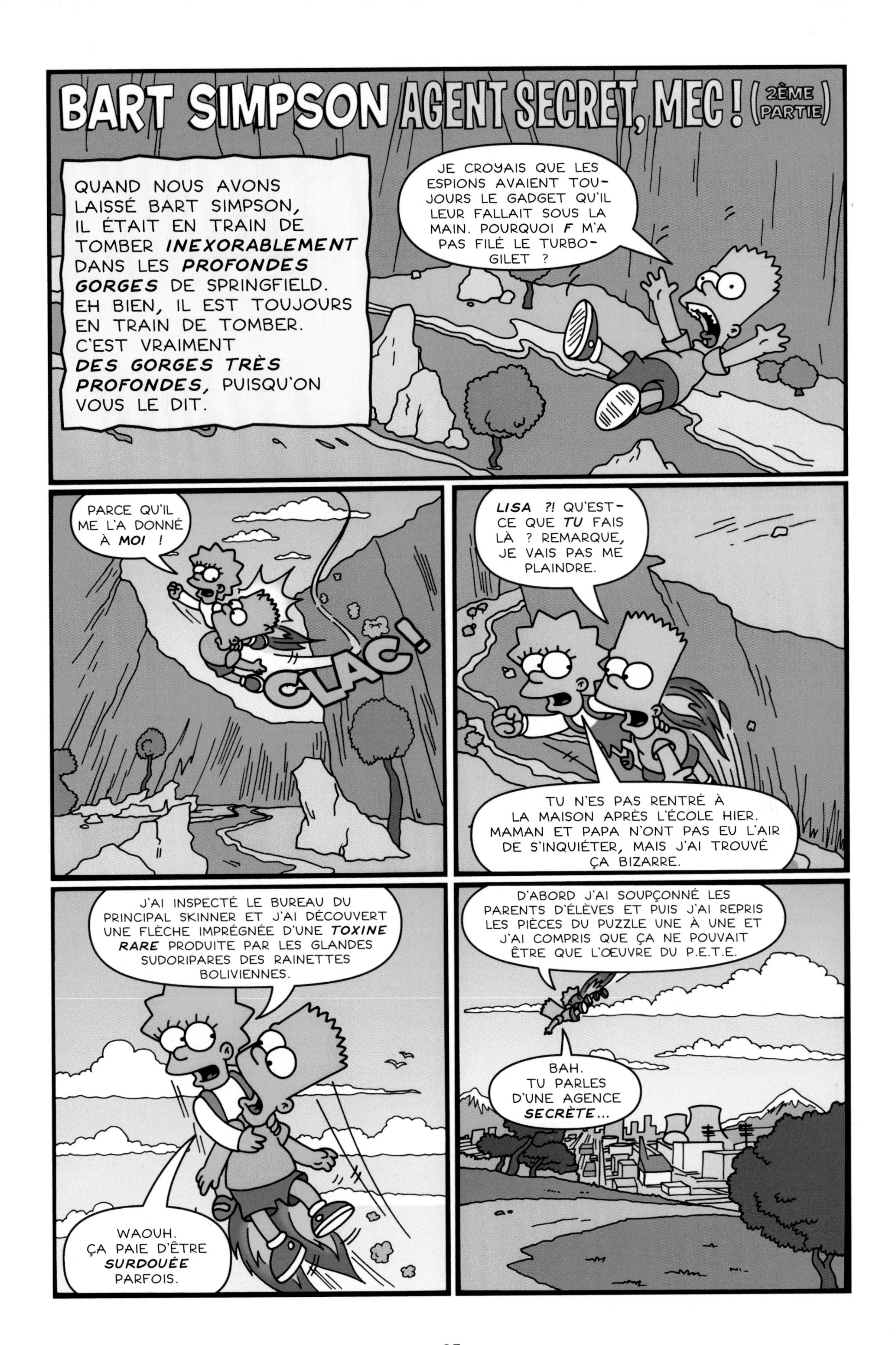
BART SIMPSON AGENT SECRET, MEC ! (2ÈME PARTIE)
QUAND NOUS AVONS LAISSÉ BART SIMPSON, IL ÉTAIT EN TRAIN DE TOMBER INEXORABLEMENT DANS LES PROFONDES GORGES DE SPRINGFIELD. EH BIEN, IL EST TOUJOURS EN TRAIN DE TOMBER. C'EST VRAIMENT DES GORGES TRÈS PROFONDES, PUISQU'ON VOUS LE DIT.
JE CROYAIS QUE LES ESPIONS AVAIENT TOUJOURS LE GADGET QU'IL LEUR FALLAIT SOUS LA MAIN. POURQUOI F M'A PAS FILÉ LE TURBO-GILET ?
PARCE QU'IL ME L'A DONNÉ À MOI !
CLAC !
LISA ?! QU'EST-CE QUE TU FAIS LÀ ? REMARQUE, JE VAIS PAS ME PLAINDRE.
TU N'ES PAS RENTRÉ À LA MAISON APRÈS L'ÉCOLE HIER. MAMAN ET PAPA N'ONT PAS EU L'AIR DE S'INQUIÉTER, MAIS J'AI TROUVÉ ÇA BIZARRE.
J'AI INSPECTÉ LE BUREAU DU PRINCIPAL SKINNER ET J'AI DÉCOUVERT UNE FLÈCHE IMPRÉGNÉE D'UNE TOXINE RARE PRODUITE PAR LES GLANDES SUDORIPARES DES RAINETTES BOLIVIENNES.
WAOUH. ÇA PAIE D'ÊTRE SURDOUÉE PARFOIS.
D'ABORD J'AI SOUPÇONNÉ LES PARENTS D'ÉLÈVES ET PUIS J'AI REPRIS LES PIÈCES DU PUZZLE UNE À UNE ET J'AI COMPRIS QUE ÇA NE POUVAIT ÊTRE QUE L'ŒUVRE DU P.E.T.E.
BAH. TU PARLES D'UNE AGENCE SECRÈTE...

JE ME SUIS PRÉSENTÉE À EUX AVEC CE QUE JE SAVAIS ET ILS M'ONT AUSSITÔT ENGAGÉE ET CONFIÉ MA PREMIÈRE MISSION.
ON PEUT SAVOIR LAQUELLE, CHÈRE COLLÈGUE ?
ILS M'ONT DEMANDÉ DE T'AIDER.
QUOI ?! FAUT QUE JE FASSE DE L'ESPIONNAGE AVEC MA SŒUR ? S'ILS PENSENT QUE J'AI BESOIN D'AIDE, POURQUOI ILS ENVOIENT PAS URSULA ANDRESS ?
ÉCOUTE, J'AI UNE THÉORIE SUR LA PERSONNE QUI AURAIT LES MOYENS ET LES RAISONS DE PRODUIRE UNE SUBSTANCE RADIOACTIVE DANGEREUSE COMME LE MACGUFFIUM ET SUR LE LIEU OÙ CELA POURRAIT SE FAIRE !
AH OUAIS ? OÙ ÇA ?
ICI.
HMMM. INTÉRESSANT COMME THÉORIE.

ET ALORS, HONEY BOUDIN, COMMENT TU FAIS POUR RENTRER DANS CETTE ZONE SOUS HAUTE SURVEILLANCE ?
D'ABORD, ON ENFILE CES COMBINAISONS DE PROTECTION. ENSUITE ON PASSE À L'ENTRÉE AVEC LA TASSE À CAFÉ DE PAPA QUI EST PLEINE DE TRACES DE DOIGTS...
...ET APRÈS, ON UTILISE TES LUNETTES POUR TROUVER LE MACGUFFIUM ET EN PRÉLEVER UN ÉCHANTILLON.
LA SEULE CHOSE À LAQUELLE JE N'AI PAS PENSÉ, C'EST UN NOM POUR NOTRE PLAN.
NO PROBLEMO. ON N'A QU'À L'APPELER "PLAN BART A".
'BIP !' BONJOUR M. SIMPSON.
SALUT LE MONSIEUR DU SCANNER.
DEPUIS QUAND ON EMBAUCHE DES NAINS ?
OUAIS, C'EST VRAI, LA COMMISSION DE RÉGULATION NUCLÉAIRE NOUS FAIT SUER AVEC ÇA DEPUIS DES LUSTRES.
HÉ, LISA, SI ON REGARDAIT LÀ-DEDANS ?
BART, JE SAIS QUE TU ES NUL EN LECTURE, MAIS IL Y A ÉCRIT ***"DANGER"***.
DANGER
DANGER, C'EST MON SURNOM.
ME VOILÀ SOULAGÉE. PENDANT DES ANNÉES, J'AI CRU QUE C'ÉTAIT JO-JO.

C'EST DU MACGUFFIUM ?
C'EST PAS DES MR. FREEZE EN TOUT CAS. OH NON ! REGARDE !
MAIS C'EST L'AGENT K ? QU'EST-CE QU'ELLE FICHE LÀ ? T'EN-TENDS CE QU'ILS DISENT ?
SI TU ARRÊTAIS DE POSER DES QUESTIONS, PEUT-ÊTRE.
GRÂCE AU MACGUFFIUM, JE VAIS ACCOMPLIR MON RÊVE ET DOMINER LE MONDE EN DEUX FOIS MOINS DE TEMPS ET EN FAISANT DEUX FOIS PLUS DE PROFIT.
N'OUBLIEZ PAS D'AJOUTER VOTRE RIRE MALÉFIQUE, MONSIEUR.
FAITES-LE DONC À MA PLACE, SMITHERS. TOUTES CES RADIATIONS M'ÉPUISENT.
MOA-HA-HA-HA !
VOILÀ DONC SON PLAN. DOMINER LE MONDE.
OUAIS, C'EST PAS TRÈS ORIGINAL. ALLEZ, K, BOTTE-LEUR LES FESSES, QUOI !
ET GRÂCE À MOI, LES SEULS OBSTA-CLES À VOTRE PROJET SERONT DES GAMINS ÉCERVELÉS.
HÉ ! C'EST DE NOUS QU'ELLE CAUSE !
J'AI L'IMPRESSION QU'ELLE NE VA BOTTER LES FESSES À PERSONNE.
À MOINS QUE CE NE SOIT LES VÔTRES.

ILS N'ÉTAIENT PEUT-ÊTRE PAS AUSSI ÉCERVELÉS QUE VOUS LE PRÉTENDIEZ, K.
UNE MINUTE. COMMENT ÇA SE FAIT QUE VOUS ÊTES À LA FOIS LÀ-HAUT AVEC NOUS ET EN BAS À DISCUTER ?
C'EST JUSTE UNE ANIMATION HOLOGRAMME MISE EN PLACE POUR LES INVESTISSEURS ÉTRANGERS. ÇA VOUS PLAÎT ? C'EST MOI QUI AI COMPOSÉ LA MUSIQUE.
QU'EST-CE QUE VOUS ALLEZ FAIRE DE NOUS ?
OH, NOUS SAVONS TRÈS BIEN QUOI FAIRE DES PETITS CURIEUX COMME VOUS. MONTREZ-LEUR, K.
AU DODO !
PFFT!
APRÈS UNE PETITE SIESTE...
'BLURP' J'AI UN ARRIÈRE-GOÛT DE RAINETTE BOLIVIENNE
OÙ SOMMES-NOUS ?
DANS LA CHAMBRE DE TORTURE, BIEN ENTENDU. TOUTE CENTRALE NUCLÉAIRE EN POSSÈDE UNE.
CETTE CORDE DESCEND LENTEMENT VERS UN BAC DE DÉCHETS NUCLÉAIRES, ET VOUS AVEC.
MAIS AUCUNE N'EST AUSSI BELLE QUE LA VÔTRE, MONSIEUR.

VOUS VOULEZ NOUS TRANSFORMER EN MUTANTS HIDEUX POUR QU'ON DISE RIEN SUR VOS PROJETS DE DOMINATION DU MONDE ?
NON, JE VEUX VOUS TUER POUR QUE VOUS NE DISIEZ RIEN DE MES PROJETS.

MAIS JE RETIENS L'IDÉE DE MUTANT. POUR LA PROCHAINE FOIS PEUT-ÊTRE.

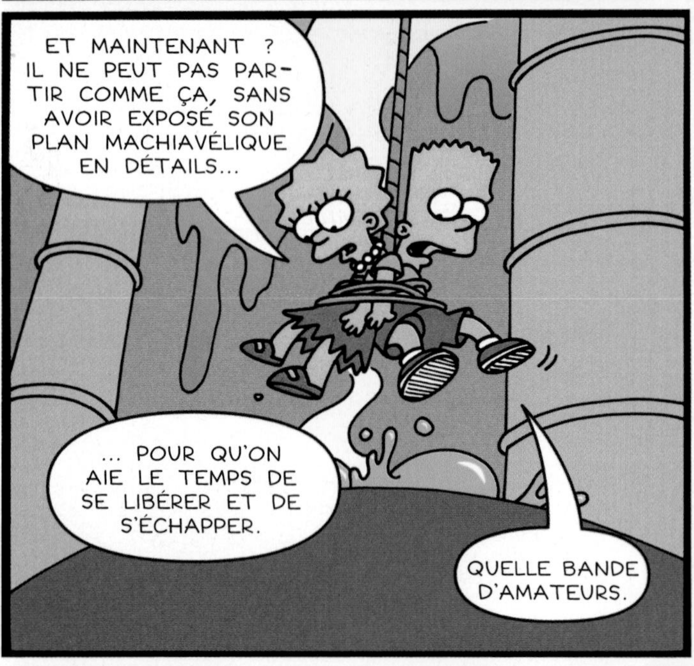
ET MAINTENANT ? IL NE PEUT PAS PARTIR COMME ÇA, SANS AVOIR EXPOSÉ SON PLAN MACHIAVÉLIQUE EN DÉTAILS...
... POUR QU'ON AIE LE TEMPS DE SE LIBÉRER ET DE S'ÉCHAPPER.
QUELLE BANDE D'AMATEURS.

POUR QUE VOUS NE NOUS PRENIEZ PAS POUR UNE BANDE D'AMATEURS, SACHEZ QUE M. BURNS A BIEN UN PLAN DIABOLIQUE QUI IMPLIQUE CET AIMANT GÉANT DERRIÈRE VOUS.
SMITHERS ! IL N'Y A PLUS DE PAPIER !

JE VAIS ESSAYER D'ENVOYER MA GODASSE POUR ALLUMER L'AIMANT. PEUT-ÊTRE QU'IL NOUS ATTIRERA À LUI.

HOP-LA!

OFF
TAP!
ON

BAM!

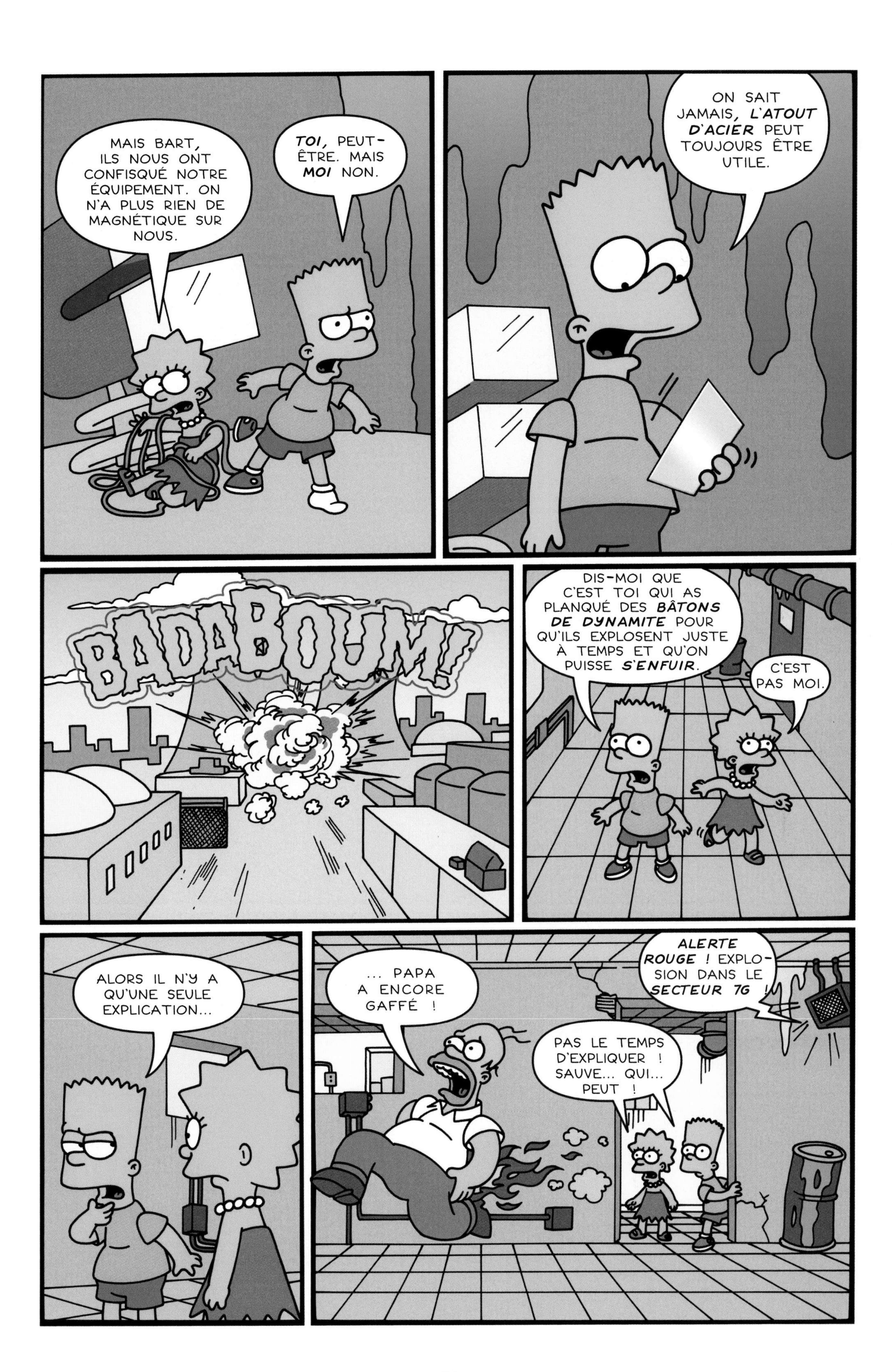
MAIS BART, ILS NOUS ONT CONFISQUÉ NOTRE ÉQUIPEMENT. ON N'A PLUS RIEN DE MAGNÉTIQUE SUR NOUS.
TOI, PEUT-ÊTRE. MAIS MOI NON.
ON SAIT JAMAIS, L'ATOUT D'ACIER PEUT TOUJOURS ÊTRE UTILE.
BADABOUM!
DIS-MOI QUE C'EST TOI QUI AS PLANQUÉ DES BÂTONS DE DYNAMITE POUR QU'ILS EXPLOSENT JUSTE À TEMPS ET QU'ON PUISSE S'ENFUIR.
C'EST PAS MOI.
ALORS IL N'Y A QU'UNE SEULE EXPLICATION...
... PAPA A ENCORE GAFFÉ !
ALERTE ROUGE ! EXPLOSION DANS LE SECTEUR 7G !
PAS LE TEMPS D'EXPLIQUER ! SAUVE... QUI... PEUT !

JE VAIS PEUT-ÊTRE MANQUER D'ORIGINALITÉ, MAIS DÉGAGEONS LE PLANCHER !

MONSIEUR, ILS S'ÉCHAPPENT.
ARRÊTEZ-LES AVEC VOTRE **PANAMA MÉTALLIQUE**.

JE N'AI QU'UN SEUL PANAMA ET IL EST EN **TAFFETAS** MONSIEUR.
EXIT
EH BIEN, MORDEZ-LES AVEC VOS **DENTS PLAQUÉES PLATINE** OU FAITES UNE INCANTATION **VAUDOU**, JE NE SAIS PAS MOI !

VITE, PAR **ICI** !

ON NE VOUS A JAMAIS DIT DE NE PAS **COURIR DANS LES COULOIRS** ?

PARFAIT. LES VOILÀ FAITS COMME DES RATS.
JE VOUS EN PRIE, M. BURNS...

... UN PEU D'INDULGENCE POUR DE PAUVRES PETITS RATS.
TCHACK!
FFFT!
DANG
KA-BOUM!
VIENS, LISA !
BART, **REGARDE** !
C'EST LA CHOSE LA PLUS HALLUCINANTE QUE J'AI JAMAIS VUE.
QUOI, CES FRITES VERTES NUCLÉAIRES AVEC DES BRAS ET DES JAMBES QUI PORTENT DES SEAUX ET DES SERPILLIÈRES ?
NON, CE TRUC-**LÀ** !

UN PEU PLUS TARD.
BIEN JOUÉ, LES ENFANTS. LE MACGUFFIUM EST ENTRE DE BONNES MAINS ET L'OPÉRATION SECRÈTE DE M. BURNS A ÉTÉ STOPPÉE À TEMPS.
MÊME LES NAPPES PHRÉA-TIQUES DEVRAIENT S'EN REMETTRE D'ICI MILLE ANS. REVENEZ DEMAIN POUR VOTRE PROCHAINE MISSION.
PARFAIT, S. À DEMAIN !
UNE MINUTE. J'AI ENCORE UNE QUESTION.
LAQUELLE ?
QU'EST-CE QUE CE S VEUT DIRE, D'ABORD ?
RIEN. ENFIN, SI, C'EST MON PRÉNOM, EUH, STANLEY, NON, SIDNEY.
MOI JE DIRAIS PLUTÔT... SEYMOUR !
BRAVO SIMPSON. TU M'AS DÉCOUVERT !
MAIS COMMENT AS-TU DEVINÉ ?
VOS CHAUSSURES. J'AI COLLÉ ASSEZ D'ALLUMETTES, DE CHEWING-GUMS ET DE TRUCS DÉGUEU SOUS CETTE PAIRE DE POMPES POUR LA RECONNAITRE LES YEUX FERMÉS.
MAIS AVAIS-TU AUSSI DEVINÉ QUE K N'ÉTAIT AUTRE QUE MME KRABAPPEL ?
QUOI ?! MME KRABAPPEL ? 'GLOUPS' MOI QUI TROUVAIS K SEXY !

MAIS POURQUOI TOUTE CETTE HISTOIRE ?
C'EST UN NOUVEAU PROGRAMME SCOLAIRE EN PARTENARIAT AVEC LA FONDATION BURNS POUR LA DOMINATION DU MONDE...
DESTINÉ À RÉORIENTER LES BÊTISES D'UN CANCRE DANS UNE DIRECTION POSITIVE.
JE SUIS L'ÉLÈVE DE LIAISON.
BART, TU AS FAIT PREUVE D'UNE MAÎTRISE IMPRESSIONNANTE EN MATIÈRE DE RAISONNEMENT LOGIQUE, DE CHIMIE NUCLÉAIRE ET D'INTERPRÉTATION DES SYMBOLES.
ALORS PRINCESSE KASHMIR ÉTAIT DANS LE COUP AUSSI ?
OH OUI. APU AUSSI, MOLEMAN, LE PROFESSEUR FRINK ET MÊME LE VENDEUR DE BD.
DONC QUAND WILLIE LE GARDIEN DE L'ÉCOLE M'A POUSSÉ DANS LE VIDE, J'ÉTAIS PAS VRAIMENT EN DANGER ?
NON, WILLIE NE FAISAIT PAS PARTIE DU PROGRAMME. IL AGISSAIT DE SON PLEIN GRÉ.
LA DESTRUCTION CATACLYSMIQUE D'UNE CENTRALE NUCLÉAIRE EST UN FAIBLE PRIX À PAYER POUR DONNER UNE PETITE LEÇON À BART SIMPSON.
OUAIS, ET J'EN AI APPRIS BIEN PLUS QUE VOUS NE LE PENSEZ...
SUR LA MAÎTRISE ET LA MANIPULATION DU POUVOIR DU MACGUFFIUM.
LA FIN ?
POINT D'INTERROGATION ? C'ÉTAIT CENSÉ ÊTRE UN POINT D'EXCLAMATION ! MAIS J'AI ENCORE BEAUCOUP DE CHOSES À APPRENDRE.

BART SIMPSON
DANS
MASSACRE À LA CAMÉRA
RÉALISATEUR
JAMES BATES
SCÉNARIO
LUIS ESCOBAR
DESSINS
MIKE ROTE
ENCRAGE
NATHAN HAMILL
COULEURS
SIMON MOREAUX
LETTRAGE
BILL MORRISON
RÉVISIONS

CETTE CASSETTE EST FORCÉMENT QUELQUE PART !

LAISSE TOMBER, BART, ON A CHERCHÉ PARTOUT. C'EST QU'UN FILM APRÈS TOUT.
"ÊTRE ZOMBIE OU NE PAS L'ÊTRE", C'EST PAS QU'UN FILM, C'EST UN FILM CULTE.
INTROUVABLE À LA LOCATION. J'AI DÛ L'ENREGISTRER PAR-DESSUS "LA FOLIE FURIEUSE DU CONTE BROCKULA AVEC KENT BROCKMAN" !

TU LE RETROUVERAS JAMAIS.
JE L'AI !

TU SAIS CE QUE C'EST ?
UNE VIEILLE CAMÉRA ?
OUAIS. J'AI ENTENDU SON **APPEL** !
QUEL APPEL ? C'EST UNE CAMÉRA, PAS UN TÉLÉPHONE.

MILHOUSE, MEC, ON VA PAS **REGARDER** UN FILM D'HORREUR. ON VA CARRÉMENT EN **FAIRE** UN !

PLUS TARD...
ELLE MARCHE ENCORE !
COOL !
CLICKETY
CLICKETY

ON COMMENCE LE TOURNAGE DE "**LA MARCHE DES MORTS-VIVANTS**" CE SOIR.
Insectes, Faux Sang, etc.

"LA MARCHE DES MORTS-VIVANTS", UN FILM DE BART SIMPSON, PRODUIT PAR MILHOUSE VAN HOUTEN. QU'EST-CE QUE T'EN DIS ?
J'ADORE !

ALORS IL NOUS FAUT DES PELLICULES, DES COSTUMES, DES ACTEURS... ÇA VA REVENIR CHER. COMMENT ON VA LE PAYER, CE FILM ?
FAUT QU'ON TROUVE DES INVESTISSEURS.

LA CHASSE AUX INVESTISSEURS A DÉMARRÉ !
... ET VOILÀ COMMENT LES ZOMBIES SONT MIS HORS D'ÉTAT DE NUIRE ! JUSQU'AU PROCHAIN ÉPISODE, BIEN SÛR.
LA MARCHE DES MORTS VIVANTS
ALORS VOUS ÊTES PRÊTS A METTRE COMBIEN EN TANT QUE "PRODUCTEURS EXÉCUTIFS" ?

JE SUIS RAVIE QUE MILHOUSE ET TOI, VOUS AYEZ TROUVÉ UN NOUVEAU JEU, MAIS ON VOUS DONNE DÉJÀ DE L'ARGENT DE POCHE POUR VOUS ACHETER DE QUOI VOUS AMUSER.
AH BON, ON LUI DONNE DE L'ARGENT DE POCHE À LUI AUSSI ?

ALLEZ, 'PA !
DÉSOLÉ. MAIS JE NE VAIS PAS GASPILLER LE PEU QU'IL ME RESTE APRÈS AVOIR PAYÉ LA PENSION DE TA MÈRE POUR UN FILM DÉBILE.

JE ME SOUVIENS DE CETTE CAMÉRA ! ON A FILMÉ LE DÉBARQUEMENT EN NORMANDIE AVEC... À MOINS QUE CE NE SOIT LE DÉBARQUEMENT AU RESTO DE NORM ?
MERCI POUR RIEN, GRAND-PA.
OH, J'AI FAIM.

HORS DE QUESTION ! IL N'Y A RIEN DE PRÉVU DANS LE BUDGET DE L'ÉCOLE POUR QUE LES ENFANTS SE SERVENT DE LEUR IMAGINATION.

ON EST FOUTUS !
ALORS COMME ÇA PERSONNE NE VEUT CROIRE EN NOUS. MAIS EST-CE QU'ON A VRAIMENT BESOIN D'EUX ?
DES MORTS VIVANTS
BIEN SÛR QUE OUI. IL FAUT DE L'ARGENT POUR FAIRE COULER LE SANG ET PÉTER LES BOMBES.

JE SUIS PRÊT À METTRE LES ÉCONOMIES DE TOUTE UNE VIE... ÇA FERA VINGT-SIX DOLLARS ET QUELQUES CENTIMES CANADIENS. ET TOI, T'AS COMBIEN ?
J'AI DEUX OU TROIS TITRES QUE M'A DONNÉS NANA VAN HOUTEN, MAIS ÇA VAUT PAS GRAND-CHOSE.
VENDS LES.
LIFE SAVINGS

LE MOMENT EST VENU POUR LES PRODUCTEURS DE PRODUIRE.
THE FILM-FLAM MAN
MAINTENANT QU'ON A DES PELLOCHES, COMBIEN IL NOUS RESTE SUR NOTRE BUDGET ?
PAS DES MASSES.

PEU APRÈS...
J'AI SUPER BESOIN DE ZOMBIES, MAIS J'AI PAS ASSEZ D'ARGENT. TU PEUX ME FAIRE UN PRIX ?
UN PRIX ? C'EST DES ORIGINAUX DE TOM SAVINI, CES MASQUES-LÀ. ET PUIS JE FAIS DES PRIX QU'AUX JOLIES FILLES... OU DU MOINS JE LE FERAI S'IL Y EN A UNE QUI SE PRÉSENTE.

C'EST DÉSESPÉRANT ! ON N'A PAS LES MOYENS DE SE PAYER DES ACTEURS, NI DES MASQUES, NI DES EFFETS SPÉCIAUX...
ON PEUT PAS S'ARRÊTER LÀ. 'Y A **FORCÉMENT** UNE SOLUTION.

SALUT FISTON. SALUT MILHOUSE. QU'EST-CE QUI VA PAS ? VOUS AVEZ L'AIR DÉPRIMÉ.
C'EST NOTRE FILM. ON A BESOIN DE FRIC.
AH, ÇA.
JOUER POUR GAGNER ICI
HÉ, COMME T'AS LES MAINS OCCUPÉES, TU POURRAS PAS M'EMPÊCHER DE CHOPER TON PORTEFEUILLE.

JACK POT
LÂCHE LE BLÉ, HOMER !
OUPS !
NOM D'UN CHIEN !
POUSSER
POUSSER
SPLOP!!

VAS-Y ! FILME !
FISTON-GÂCHER-BOUFFE-MOI-TUER-FISTON
FILME, MILHOUSE !!! FILME TOUT !

ARGH ! C'EST BON, T'AS LE PLAN ? GLUPS !
ÇA TOURNE !

UN PEU PLUS TARD...
C'EST SUPER ET C'EST GRATUIT ! QUI A PARLÉ DE MAQUILLAGE, DE COSTUMES ET D'EFFETS SPECIAUX ? ON A QU'À PRENDRE CE QU'ON TROUVE !
'Y A UN SUPER PLAN DE LA CENTRALE NUCLÉAIRE D'ICI.
ÉNORME. PRENDS-LE.

BART, QU'EST-CE QU'IL A DE SPÉCIAL CE CHIEN QUI DORT ?

QUELQUES MINUTES ET UNE BOMBE DE CHANTILLY PLUS TARD...
PRÉPARE LA CAMÉRA. QUAND JE M'ÉCARTERAI, ON AURA UN CHIEN DIABOLIQUE SALIVANT DE RAGE.
C'EST DÉGUEU !

POURQUOI T'AS ACHETÉ DES CHOCOLATS ET DES PRUNEAUX ?
PRÉPARE LA CAMÉRA ET FAIS-MOI CONFIANCE.
POUSSER

QUI VEUT DES BONBECS ?

QUI VEUT ALLER AUX TOILETTES ?

BART SIMPSON, QU'EST-CE QUE TU MANIGANCES ?
EUH, RIEN.
AH OUAIS ? J'AI ENTENDU DIRE QUE T'AVAIS TRAÎNÉ EN VILLE TOUTE LA JOURNÉE.
MILHOUSE, S'TE PLAÎT, DIS-MOI QUE T'AS FILMÉ CETTE SCÈNE FLIPPANTE DE BRUTALITÉ POLICIÈRE !

ARRÊTE DE TRAÎNER ET D'EMBÊTER LES GENS.
À COMMENCER PAR LES RETRAITÉS. ILS VONT À LA SOIRÉE "CREVETTES À VOLONTÉ" DE LA POÊLÉE HOLLANDAISE.
PARFAIT !

CE SOIR
cervelle
À VOLONTÉ
POUAH ! CERVELLE À VOLONTÉ ?
ÇA VA ÊTRE LE MEIL-LEUR FILM DE LA TERRE !

ALLEZ, PAPY. BINGO ATTEND.
T'ES SÛR QUE ÇA VA ÊTRE LE MEILLEUR FILM DE LA TERRE ?
TOUT EST DANS LE MONTAGE ! IL NOUS RESTE PLUS QU'À FAIRE UN TOUR AU MAGASIN DE JOUETS ET ON SERA PARÉS.

EMBALLE !
ON L'ENVOIE AU LABO.
ALLEZ-ALLEZ-ALLEZ. ÇA PRESSE !!!
SPLASH!!

SALLE DE MONTAGE. SERONT-ILS PRÊTS À TEMPS ?
VOILÀ, ÇA SERA PARFAITEMENT RACCORD POUR LA SCÈNE DE TRANSFORMATION !
À L'AIDE !
SLURP!!!

IL RONFLE OU IL APPELLE UN ÉLAN ?
RRAGAKOUGH
RRAGAKOUGH!

C'EST TROP, TROP BON !
ÇA VAUT DU SPIELBERG OU DU SCORSESE.

LA MARCHE DES MORTS-VIVANTS.
AVANT-PREMIÈRE MONDIALE

MERCI DE NOUS LAISSER PROJETER LE FILM À L'ÉCOLE.
C'EST MOI QUI VOUS REMERCIE. AVEC UNE FOULE PAREILLE, À 8$ LE SODA, ON VA ENFIN POUVOIR SE FAIRE UN PEU D'ARGENT POUR REMPLACER LES PNEUS LISSES DU CAR DE RAMASSAGE SCOLAIRE.
JE CROYAIS QUE VOUS ÉTIEZ D'ACCORD POUR FAIRE L'AVANT-PREMIERE PARCE QUE VOUS AVIEZ CHANGÉ D'AVIS ET QUE VOUS CROYIEZ EN NOUS.
AH OUI. C'EST VRAI.

RIDEAU !

"C'EST UN JOUR DE PRINTEMPS PAISIBLE ET CALME DANS LA VILLE DE SPRINGFIELD... SERAIT-CE UN JOUR COMME LES AUTRES ?"

"LES VIEUX RÉACTEURS DE LA CENTRALE NUCLÉAIRE LAISSENT ÉCHAPPER DES RADIATIONS DANS LES AIRS COMME DES OISEAUX EN PANIQUE !"

LA MARCHE DES MORTS-VIVANTS.

"LA RADIOACTIVITÉ AMBIANTE A SUFFI À ***RÉVEILLER LES... MORTS*** !!!"

HOMER CHÉRI, C'EST JUSTE UN FILM.
MAIS C'EST DE MA FAUTE ! JE SAVAIS QU'À FORCE D'IGNORER TOUS LES BOUTONS ROUGES QUI CLIGNOTENT SUR MON TABLEAU DE CONTRÔLE, ÇA FINIRAIT PAR ME RATTRAPER PAR LES FESSES.
OOH, MAIS C'EST PETIT PAPA NOËL. ÇA VA BIENTÔT ÊTRE TA SCÈNE.

"LES PREMIERS À SORTIR DE LEUR TOMBE SONT DES ANIMAUX PERDUS. MORTS-VIVANTS ET ENRAGÉS, ILS SALIVENT DE HARGNE."

UN CHIEN !
"IMPOSSIBLE D'ARRETER LA CRÉATURE IRRADIÉE."
D'OH !
GRRRR!
"LES ENTRAILLES DU PASSANT GICLENT À TERRE !"
C'EST DÉGUEU !
MOI-TUER-FISTON
"MAIS LA VICTIME NE S'EST PAS EFFONDRÉE ! L'HOMME EST DEVENU L'UN DES LEURS... UN MORT-VIVANT !!"

"PERSONNE N'EST À L'ABRI DU RÈGNE GRANDISSANT DE LA TERREUR ! LES BÉBÉS VIEILLISSENT D'UN COUP..."
"... ET SE TRANSFORMENT EN ZOMBIES RIDÉS !"
RRAGAKOUGH
RRAGAKOUGH!
"TOUT LE MONDE SEMBLE PERDU. MÊME LA POLICE EST IMPUISSANTE !"
RRAGAKOUGH
RRAGAKOUGH!
ILS VONT À LA SOIRÉE "MANGER À VOLONTÉ".
CE SOIR
cervelle
À VOLONTÉ
POUAH ! CERVELLE À VOLONTÉ ?
RRAGAKOUGH
RRAGAKOUGH!
"HEUREUSEMENT POUR LA TERRE, LE JEUNE CHAUFFEUR DE BUS A COMPRIS QUE LES MORTS-VIVANTS MANGEURS DE CERVELLE N'ÉTAIENT PAS DES TYPES COOL !"
MADE IN TAIWAN
SPLASH!!

FIN
UN FILM DE BART ET MILHOUSE

AHEM, C'EST BIZARRE, ILS ONT PAS APPLAUDI À LA FIN.
OUAIS, POURQUOI ?

IL FAUT RECONNAITRE QUE TU AS L'INTELLIGENCE DE FILMER LES GENS À LEUR INSU POUR ESSAYER DE CONSTRUIRE UNE HISTOIRE, MAIS...
MAIS QUOI ?
C'EST NAZE, FISTON.
M'MAN ?
ON T'AIME... ENVERS ET CONTRE TOUT.
MAGGIE, T'EN PENSES QUOI ?
SLURP
SLURP
'PA ? JE SUIS LÀ ! ATTENDS !

ENCORE UN FIASCO, SIMPSON.
POURQUOI T'AS PAS FILMÉ MON BON PROFIL ?
LES PIRES EFFETS SPÉCIAUX JAMAIS VUS !
TU M'AS PAS DONNÉ LES PRUNEAUX AU FINAL !

ON Y A MIS TOUTES NOS ÉCONOMIES.
JE PENSAIS QUE C'ÉTAIT PAS TROP MAL.
ÇA L'ÉTAIT.

HEIN ?
VOTRE FILM. C'EST SI FRAIS ET SI MAUVAIS QUE C'EN EST **BIEN** !

JE REPRÉSENTE NAVET TV ET JE VEUX DIFFUSER "LA MARCHE DES MORTS-VIVANTS" À LA TÉLÉ.
À LA TÉLÉ ?

VOILÀ UN CONTRAT. SI VOUS ÊTES PARTANTS, JE VOUS PAIE POUR CE FILM ET JE VOUS VERSE UNE AVANCE POUR LA SUITE, "LA COURSE DES MORTS-VIVANTS".

ON VOUS RECONTACTERA TRÈS BIENTÔT !

ALORS, QU'EST-CE QUE T'EN DIS, MILHOUSE ?
ON A **RÉALISÉ** LE MEILLEUR FILM DE LA TERRE !
JE PEUX JOUER DANS LE DEUX ! S'TE PLAÎT S'TE PLAÎT S'TE PLAÎT !
JE PEUX FAIRE MES CASCADES !
TOUT EST À VOUS DANS CETTE ÉCOLE, FAITES COMME CHEZ VOUS !
JE TE FERAI UN PRIX SUR LES MASQUES DE ZOMBIE !
JE SUIS FIER DE TOI, MILHOUSE.
ET MES PRUNEAUX, ALORS !?!
FIN

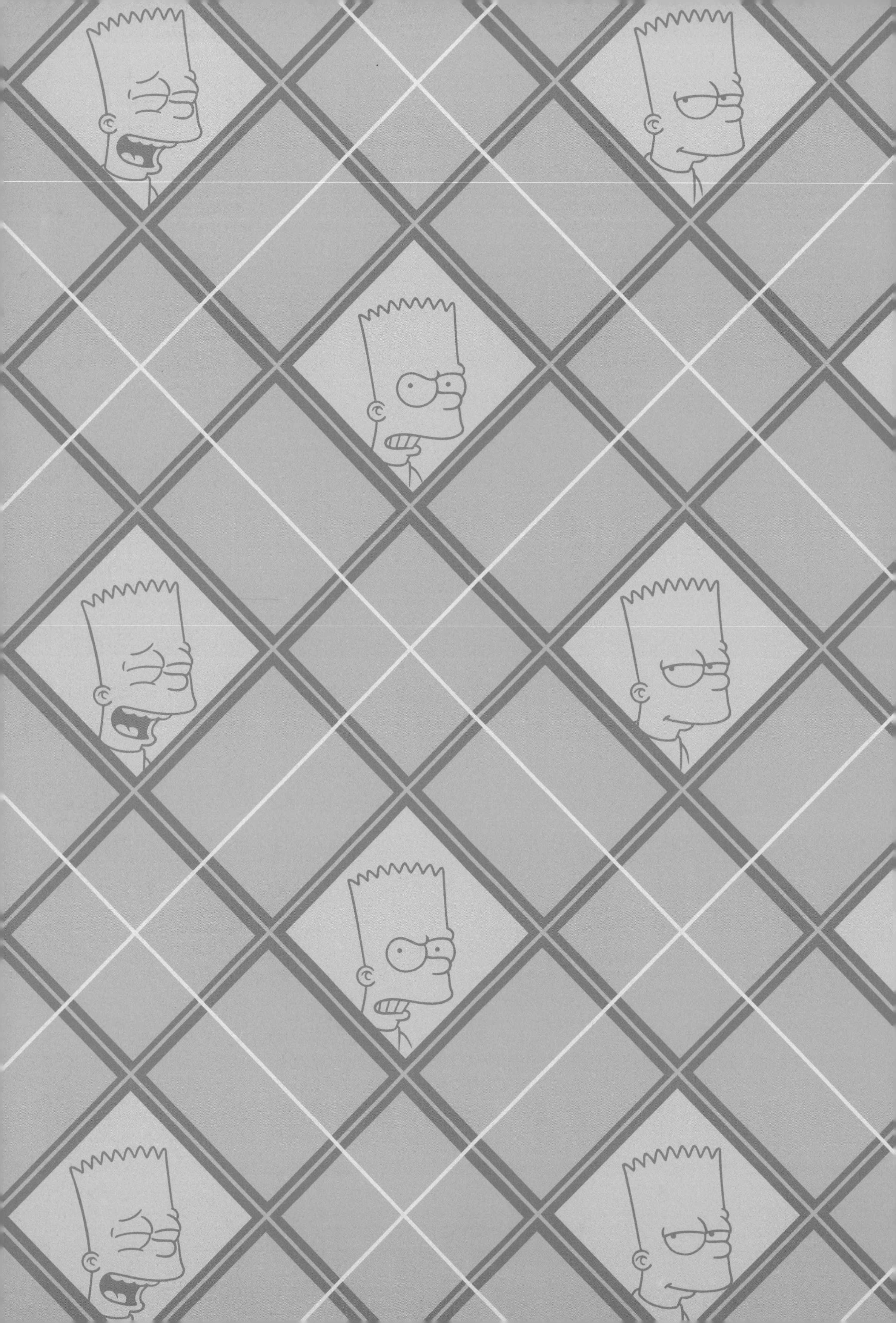